EL FESTÍN DE NUESTRA VIDA

· ·

ALEJANDRO JADAD

· ·

Beati

«¿Qué es el amor? – preguntó el discípulo.

La ausencia total de miedo – dijo el maestro.

¿Y a qué tenemos miedo?

Al amor – respondió el maestro.»

Anthony de Mello (1931-1987)

Susurros

Mientras lees, ahora mismo, estás oyendo algo en tu cabeza.

Este algo —conocido como la voz interior— me va a permitir a mí, Alex, el autor de estas palabras, participar contigo en una conversación muy especial. Mi intención es establecer una nueva conexión entre nosotros que borrará los límites entre el pasado, el presente y el futuro; entre el aquí y el allí, entre tú y yo, y, sobre todo, dentro de ti.

Fui por primera vez consciente de mi voz interior en el verano de 2007. En ese entonces estaba tratando de encontrar la mejor manera de empezar mi primer libro fuera de la medicina, titulado "Desaprender". Mientras consideraba los pros y los contras de cada uno de los posibles inicios del libro, ¡ocurrió!

Empecé a ser testigo de mis propios dilemas, expresados con palabras que sonaban como mi propia voz, pero que no provenían de mis labios. Podía escuchar estas palabras, aunque no procedían de ondas sonoras que llegaban a mis oídos. ¡Me estaba escuchando, quizá por primera vez, más de cuarenta años después de mi nacimiento!

La sensación fue tan cautivadora y profunda que empecé a prestar más atención al timbre de esta voz, a su ritmo, a su tono, a su compás e incluso a su volumen.

Como no pude encontrar suficiente bibliografía al respecto, comencé a experimentar con ella, a explorar lo que rápidamente se convirtió en un mundo lleno de nuevas posibilidades.

Me di cuenta de que mi voz interior se podía comunicar con la voz interior de otras personas, tal y como estamos haciendo ahora.

Descubrí que el texto escrito es quizá la herramienta más poderosa que tenemos los humanos para trascender espacio y tiempo. En ese entonces, fui plenamente consciente de que podría entrar en contacto contigo aquí y ahora.

Fui consciente de que no importa si me conoces o si has escuchado mi voz.

No importa si yo sigo vivo. Mientras leas esto podré comunicarme contigo como estoy haciéndolo ahora.

Ahora estoy usando mi escritura para llegar hasta ti, para compartir contigo mi viaje de descubrimiento y de crecimiento.

Al principio me oirás a través de tu propia voz interior. Gradualmente, a medida que vayas leyendo las breves partes en las que he dividido esta experiencia, te darás cuenta de que estás participando en una conversación muy íntima, contigo.

Encontrarás muchas preguntas a lo largo del camino, las que buscan apoyarte mientras te preparas para amarte por completo.

En ciertos puntos, aparecerán secciones con texto como este en las que te hablaré directamente, como lo estoy haciendo ahora.

Ven conmigo.

Siéntete libre para dar rienda suelta a tu imaginación.

No hay ninguna razón para preocuparse.

Al fin y al cabo, nadie será capaz de oírnos.

El amor tras el amor

Llegará el día
en que, exultante,
te vas a saludar a ti mismo al llegar
a tu propia puerta, en tu propio espejo,
y cada uno sonreirá a la bienvenida

del otro, y dirá, siéntate aquí. Come.
Otra vez amarás al extraño que fuiste para ti.
Dale vino. Dale pan. Devuélvele el corazón
a tu corazón, a ese extraño que te ha amado

toda tu vida, a quien ignoraste
por otro, y que te conoce de memoria.
Baja las cartas de amor de los estantes,

las fotos, las notas desesperadas,
arranca tu propia imagen del espejo.
Siéntate. Haz con tu vida un festín.

Derek Walcott (1930 – ?)

[Traducción de Héctor Abad Faciolince y Alex Jadad]

La bienvenida

Aceptar

«Cierra los ojos y mira a tu alrededor, me verás frente a ti»

Khalil Gibran (1883 – 1931)

¿Puedes oírme?

Leer, pensar o soñar me dan vida.

Con frecuencia me llaman *la voz interior*.

Ahora, ¿me oyes bien?

¿Qué soy?

¿Quién soy?

¿Soy uno sólo, o muchos a la vez?

Nadie lo sabe.

No está claro si me oyes como a tu propia voz.

¿Soy texto?

¿Soy sonido?

¿Ambos, acaso?

¿Ninguno?

No importa, en realidad.

Muchos están tratando de averiguarlo.

Puede que encuentren la respuesta.

Puede que no.

Puede que quede como un misterio. Para siempre.

Te estoy invitando a formar parte de la conversación íntima más importante de tu vida. Puede que resulte extraño, ya que sólo incluye una voz, una sóla persona y varios puntos de vista.

¿Cómo puede ser esto posible?

Porque soy quien siempre has llamado *mi*.

Mirar

«Despierta. Se testigo de tus pensamientos».

El Dhammapada

¿De dónde vengo?

Presta atención…

Escúchame con cuidado.

Parece que vengo de un lugar en tu cabeza, detrás de tus ojos…

No puedes silenciarme a propósito.

Sólo callo cuando duermes, si estás en coma o con la muerte.

Soy quien experimenta.

Soy quien juzga.

Soy quien reflexiona.

Soy quien hace planes.

Quien confía y se enamora.

Quien anhela.

Algunos piensan que tu cerebro y tu mente me han creado para que te sitúe, a ti y a todo lo que sientes, en el centro del mundo.

Otros creen que soy quien le da sentido y significado a tu vida.

También soy quien puede llenarte de tristeza, de dudas, de arrepentimiento y de terror.

Al igual que tus ojos no pueden verse, soy la parte de ti que no puede percibirse a sí misma.

Soy la única solución a tu acertijo más complejo: quien eres realmente.

Tu, en cambio, eres quien siempre has llamado *yo*.

Apreciar

«Todo lo que vemos o asumimos no es sino un sueño dentro de un sueño».

Edgar Allan Poe (1809 – 1894)

¿Quién eres *tú* al que llamas *yo*?

Eres al que los demás pueden ver.

Eres al que los demás pueden oír.

Eres al que los demás llaman por tu nombre.

Eres quien puede ver a los demás, quien puede escucharlos.

Eres quien puede tocarlos, quien puede llamarlos por sus nombres.

Puedes oler las rosas, y sentir el viento en tu cuerpo.

Puedes saborear. Eres el punto de vista desde el cual te asomas al mundo.

Eres quien percibe.

Me das vida.

Solo tu puedes oírme.

Te hago pensar. Te moldeo.

¿Te gustaría verme?

Ponte frente a un espejo.

¿Puedes ver más allá del reflejo?

Cierra los ojos.

¿Somos, tu y yo, capaces de sentirnos como un todo?

¿RECONOCEMOS, tu y yo, a quien nos ha amado toda nuestra vida?

¿Podemos darle la bienvenida a quien solo tu y yo podemos llamar *nuestro mismísimo ser*?

Reunir

«Sabemos tan poco unos de otros. Abrazamos una sombra y amamos un sueño».

Hjalmar Söderberg (1869 – 1941)

Comenzamos a construir una historia casi desde el momento en el que nacimos.

Tu has aportado todo lo que ves, oyes, tocas, saboreas y hueles cada momento de nuestros días.

Yo he respondido a esas percepciones con la ayuda de nuestros recuerdos, añadiendo un toque de coherencia y de estabilidad que te dan seguridad. He hecho que nos sintamos reales.

Lo que reconocemos como nuestro mismísimo ser, nuestra propia vida, puede que sea la ilusión más poderosa creada por nuestra mente.

Creemos que somos una persona, con nuestra identidad propia. Creemos que tenemos emociones, deseos, puntos de vista, funciones, creencias y valores propios.

Al mismo tiempo, nuestra vida evoluciona implacablemente.

Prestamos mucha atención y respondemos ante nuestra propia opinión y a la de los demás.

Estamos constantemente observando y tratando de entender nuestras emociones, las expectativas de otros y qué ocurre a nuestro alrededor.

Estamos continuamente tratando de ajustarnos.

Este proceso puede durar hasta nuestro último suspiro.

Corremos el riesgo de tener una vida inconclusa.

Quizá deberíamos vivir sin esperar una conclusión.

Es por eso por lo que es tan importante hacer una pausa. Ahora mismo.

Reflexionemos sobre lo que querríamos ser.

Mirémonos de nuevo.

Sorprendámonos con todo lo que podemos imaginar y expresar.

La preparación

Expresar

«Somos lo que pretendemos ser, por lo que debemos elegir bien lo que queremos pretender ser»

Kurt Vonnegut (1922 – 2007)

¿Qué haríamos si pudiéramos hacer lo que más nos gusta?

¿Qué le pediríamos al genio de la lámpara si sólo nos ofreciera un deseo?

¿Qué haríamos si el dinero no fuera un obstáculo?

¿Qué clase de vida querríamos vivir, ahora mismo, si pudiéramos hacer cualquier cosa?

¿Qué deseamos ser de verdad?

¿Qué haríamos si no tuviéramos miedo?

Reflexionemos con calma sobre estas preguntas.

Estas preguntas podrían ayudarnos a centrar nuestra atención en lo que es verdaderamente importante para ti, para mi, para nuestro mismísimo ser; para nuestra vida.

No nos precipitemos en responderlas.

Puede que no haya una respuesta clara.

Simplemente dejemos que liberen nuestra imaginación.

Soñemos con una nueva realidad para nuestra vida.

¿Qué elementos del sueño residen dentro de lo que consideramos nuestro mismísimo ser?

¿Qué elementos están ahí fuera, en lo que percibimos como el mundo exterior?

¿Qué necesitamos para hacer realidad nuestro sueño?

¿Qué podemos hacer, por nuestra cuenta, para hacerlo realidad?

¿A quién debemos traer a bordo como apoyo?

¿A quién debemos seducir?

Seducir

«Tenemos semillas de autodestrucción que nos traerán sólo infelicidad si las dejamos crecer»

Dorothea Brande (1893 – 1948)

En ocasiones necesitamos ayuda.

En ocasiones somos nuestro peor enemigo.

¿Hay alguien que pueda herirnos más?

¿Quién podría engañarnos más?

¿Podríamos de verdad protegernos?

¿Qué pasaría si consideráramos el amarnos como un término plural, algo que requiere trabajo en equipo?

¿Qué pasaría si contáramos con compañeros de viaje comprometidos a lo largo de nuestra vida, siempre dispuestos a echarnos una mano?

¿Quiénes deben escucharnos u ofrecernos un hombro cuando nos sintamos más vulnerables?

¿Quiénes son nuestras mayores cómplices, nuestros aliados?

¿Quiénes nos quieren más de lo que nos merecemos?

¿A quiénes debemos tratar de mantener siempre muy cerca?

¿Quién podría y debería conocer nuestros sueños y pesadillas?

¿A quién deberíamos otorgar el poder suficiente como para decirnos lo que necesitamos escuchar, no sólo lo que queremos oír?

¿Quién estará a nuestro lado en los peores momentos?

¿En quien confiamos realmente?

El festín

Protección

¿Cómo podemos saber si estamos tomando las decisiones que nos permitirán tener una vida plena?

Mientras reflexionaba sobre esto al inicio de mi propio proceso, me di cuenta de que podía escuchar más de una voz interior, las cuales competían por mi atención y aparecían en diferentes niveles de consciencia.

Ahora mismo, por ejemplo, reconocerás una voz que se produce cuando estás leyendo estas palabras, otra que las analiza y otra más que las examina a ambas.

Cuando me centré en mi propia capacidad para amarme, descubrí varios **Alex** que competían por ser protagonistas. Algunos eran desagradables –como un Alex miedoso, un Alex insensible–, otros reflejaban mayor amor propio –un Alex tranquilo, o un Alex generoso– y otros se encontraban a medio camino entre estos.

Si éste es mi caso, me dije, lo más seguro es que le suceda lo mismo a otras personas.

En lugar de paralizarme ante este descubrimiento, desarrollé una estrategia de protección, no sólo para protegerme de mí mismo sino también de los demás, que pareció funcionar.

Elegí a aquellas personas cuyos intereses estaban muy alineados con los míos y quienes se beneficiarían si yo lograra amarme intensamente: mi esposa Martha, nuestras hijas Alia y Tamen, los que me gusta llamar **miembros de mi familia por elección** como mis amigos más cercanos y mis mentores.

Les invité a convertirse en mi Junta Directiva personal. Su principal función sería la de brindarme su opinión sobre cómo estaba viviendo mi vida, así como la de darme sugerencias o ayudarme a fijar objetivos específicos para mejorar en todo sentido, y de evaluarme a intervalos regulares.

Sus impresiones, sugerencias y metas me sirvieron como elementos para guiar la conversación interior entre mis múltiples voces.

Esto me permitió, por fin, ser capaz de hacer una pausa y reflexionar, con confianza, sobre cómo vivir una vida llena de salud, felicidad y amor, sin remordimientos, hasta mi último suspiro.

Puede que, ahora que comienza tu aventura, te resulte valioso a ti también.

Antes de continuar, intenta responder la siguiente pregunta:

¿Quiénes deberían hacer parte de tu Junta Directiva Personal?

Sentir

«Cuando las cosas comienzan a acelerarse de manera salvaje, a veces la paciencia es la única respuesta. Haz una pausa. Tenemos tiempo».

Douglas Rushkoff (1961 – ?)

Hablemos sinceramente.

No estamos en armonía.

Tú y yo hemos estado aparte durante mucho tiempo.

No somos una unidad.

Lo que yo pienso y lo que tú dices son a menudo muy diferentes.

Lo que dices muy pocas veces tiene algo que ver con lo que yo espero que hagas.

Soy culpable de nuestra separación.

Cuando te pidieron que hicieras lo que te ordenaban, que te ajustaras a los deseos de otras personas, no fui capaz de darte el coraje que necesitabas. Te hice sentir débil y vulnerable.

Sabía que todo lo que tenías que hacer era decir **¡NO!** para romper el hechizo. En lugar de hacerlo obvio, indudable o sencillo, te di inseguridad. Permití que nos conquistara el miedo.

¿Qué merece ese ¡NO! ahora?

¿Qué necesitamos para ser capaces de amarnos incondicionalmente y para que nuestra alegría y nuestra tranquilidad sean nuestras prioridades más importantes?

¿Sentimos que amarnos sería una forma de narcisismo, egocentrismo o egoísmo?

¿Qué pasaría si ahora, tal y como nos aconsejan hacer en un avión que está en problemas, decidiéramos ponernos nuestra máscara de oxígeno, primero, y respirar profundamente para fortalecernos?

¿Qué nos impide ayudarnos primero antes de ayudar a otros?

¿Qué tal si aceptáramos que el único camino para amar a otras personas intensamente es el de amarnos totalmente?

¿Qué debemos alinear?

Alinear

«El amor y la compasión traen consigo la verdadera felicidad»

Es esencial que nuestras motivaciones e incentivos estén en armonía.

¿Qué tal si identificáramos un objetivo común, aparentemente inalcanzable? ¿Existe algún objetivo que no podamos alcanzar independientemente?

¿Qué ocurriría si nos centráramos en lo que la humanidad ha considerado durante siglos como el objetivo último de cualquier existencia - en lograr vivir una vida plena?

¿Qué ocurriría si buscáramos, descubriéramos y recuperáramos nuestra capacidad para armonizar lo que sentimos, lo que pensamos, lo que decimos y lo que hacemos?

¿Qué ocurriría si empezáramos a identificar el sentimiento que más valoramos, y lo usáramos para alinear nuestros pensamientos, palabras y acciones?

¿Qué nos gustaría sentir más intensamente y con mayor frecuencia?

Intentemos responder las siguientes preguntas.

Son tal vez las más importantes que podríamos hacernos.

¿Qué es lo que más **me** hace feliz?

¿Cuál es **tu** verbo? ¿Qué es lo que más te gustaría hacer por encima de todo lo demás?

Aun si nos toma tiempo encontrar las respuestas, valdrá la pena el esfuerzo.

Debemos ser urgentemente pacientes.

La sonrisa radiante

Cuando mi padre falleció de cáncer de pulmón en 2002, tres años después de la muerte de mi abuelo materno, me di cuenta de algo muy importante: **yo sería el siguiente.**

Fui también consciente de que la mayoría de la gente estaba muriendo a causa de complicaciones de enfermedades crónicas incurables, un nuevo fenómeno desde finales del siglo XX.

Me di cuenta de que el aislamiento y la soledad, así como la pérdida de la independencia y el abandono social, causaban mucho sufrimiento innecesario al final de la vida de las personas.

Este panorama triste me llevó a dedicar el resto de mi vida profesional a permitirles a quienes se encontraban en esta situación sacar el máximo provecho del tiempo que les quedara de vida.

Muy pronto, descubrí que tenemos mucha información sobre dónde morir y cuándo, pero sabemos muy poco del cómo morimos, y menos aún del cómo nos gustaría morir.

Comencé a preguntarles a mis pacientes cómo les gustaría vivir el resto de sus días, y pude comprobar que en muchos casos esa era la primera vez que la gran mayoría pensaba sobre ese tema.

*Para facilitar el proceso, comencé a pedirles que se enfocaran en lo que más feliz les hacía en la vida, y que identificaran **su verbo**. Muchos, curiosamente, respondían con una mirada vacía por unos segundos, seguida por una sonrisa radiante cuando encontraban la respuesta. A partir de ese momento, podíamos enfocarnos en crear las condiciones que les permitiría conjugar su verbo tanto y tantas veces como fuera posible, para lograr así máxima felicidad y tranquilidad en el tiempo que les quedaba por vivir.*

Por lo general terminaba este proceso deseando que hubiera empezado mucho antes en la vida.

Fue en el 2008, cuando me vi convertido en paciente en mi propio hospital, ante una falsa alarma de un cáncer, cuando me di cuenta de que no me había planteado a mi mismo qué era lo que me hacía más feliz, ni había hecho esfuerzo para identificar mi propio verbo.

Me tomó tres meses, y muchos intentos, poder producir la sonrisa radiante que he visto en mis pacientes.

Mi conclusión ha sido que lo que me produce felicidad máxima es darme cuenta de que no se algo, cuando me enfrento a la incertidumbre. Mi verbo es preguntar, o, más concreto aún, maravillarme ante lo desconocido.

Esta revelación ha tenido un gran impacto en mi vida. Me ha permitido guiar mis esfuerzos para alinear lo que siento con lo que pienso, lo que digo y lo que hago cada hora de cada día en que estoy despierto.

A medida que he disfrutado de periodos cada vez más largos de felicidad y de serenidad con una intensidad que creía era inalcanzable, he comenzado a hacer las mismas dos preguntas a mi esposa, a nuestras hijas, a mis amistades más cercanas y a mi equipo de trabajo.

Saber qué nos produce la felicidad más grande e intensa, así como conocer nuestros verbos, nos ha convertido en cómplices, ayudándonos mutuamente a conjugarlos tan continuamente como sea posible, para lograr el mayor bienestar posible, sin remordimientos.

Ahora es tu turno, si decides intentarlo.

¿Qué es lo que más feliz te hace?

¿Cuál es tu verbo?

Liberar

«Perder la alegría es perderlo todo».

Robert Louis Stevenson (1850 – 1894)

Ahora debemos pensar y actuar como exploradores antiguos intentando comprender un mundo desconocido.

Es importante saber que nos espera un territorio inexplorado: el del resto de nuestra vida.

Sabemos que el camino comienza aquí y ahora. No sabemos, sin embargo, cuando acabará.

Pero acabará. Un día, antes de lo que pensamos, vamos a morir.

¿Qué sucedería si nuestra misión no fuera alcanzar un meta específica sino conseguir las mejores herramientas de navegación para guiarnos en el camino que recorreremos desde ahora hasta nuestro último suspiro?

¿Qué sucedería si aceptáramos que no existe una versión definitiva del mapa de nuestra vida?

¿Qué sucedería si viéramos cada hora del día como una **unidad de vida**?

¿Qué sucedería si nos convenciéramos de que no hay nada más importante para nosotros que deleitarnos en cada una de ellas, conjugando nuestro verbo, haciendo aquello que más disfrutamos?

¿Qué sucedería si decidiéramos que sentir máxima tranquilidad fuera nuestra brújula ?

¿Qué sucedería sí nuestro único límite fuera el de no herir a otras personas?

¿Qué sucedería sí decidiéramos ayudar quienes nos rodean a identificar lo que les hace más felices?

¿Y si los invitáramos a descubrir su verbo?

¿Hasta dónde llegaríamos si creyéramos que somos capaces de lograr lo que hasta ahora hemos considerado imposible?

¿Qué sucedería si uniéramos fuerzas y decidiéramos superar, de una vez por todas, todos los obstáculos que nos impiden vivir plenamente?

¿Qué debemos vencer?

Vencer

«Mi vida ha estado llena de terribles infortunios que
nunca ocurrieron»

Michel de Montaigne (1533 – 1592)

Nos he saboteado durante toda nuestra vida.

He permitido que fuerzas terribles nos oprimieran, nos
paralizaran. He acumulado tristezas, poniéndolas sobre tus
hombros como piedras en una mochila.

Traigo piedras del pasado. Son las más pesadas y están llenas,
en su mayoría, de ARREPENTIMIENTOS. Están repletas
de *debí haber hecho* y de y *si lo hubiera evitado*. Nos comen desde
adentro.

¿Nos sentimos culpables o avergonzados por haber herido a
alguien? ¿Qué podemos hacer para lograr su perdón o para
redimirnos? ¿Hay algo que desearíamos haber hecho pero
que no hicimos? ¿Podemos hacerlo ahora?

Traigo otras piedras del presente. Son agotadoras, porque
están llenas de FRUSTRACIONES. Están repletas de *¿por
qué?* negativos, y de *¿por qué no?* que nos consumen desde
fuera, cuando no se cumplen nuestras expectativas.

Traigo otras piedras del futuro. Son las más paralizadoras, porque están hechas de MIEDOS. Miedo al dolor, al fracaso, a ser vulnerables, a defraudar a otras personas, a hacer el ridículo, a no satisfacer nuestras necesidades básicas, pero sobre todo, a nuestra propia muerte. Están llenas de catastróficos *¿y si sucede?* y de *¿qué voy a hacer?*.

¿Qué es lo peor que podría ocurrir?

¿Y si reconociéramos que no tenemos control sobre el futuro? ¿Y si aceptáramos que estamos en manos de la suerte y del azar, con muy poca capacidad para cambiar lo que va a suceder?

¿Y si en lugar de buscar la felicidad, mientras tratamos de cambiar los acontecimientos de nuestra vida o controlar el futuro, nos centramos en cambiar cómo los percibimos y cómo respondemos a ellos?

¿Y si pudiéramos cultivar una intensa y tranquila indiferencia ante los pensamientos y experiencias negativas a la vez que hacemos aquello que nos apasiona, como estrategia para vivir una vida plena?

¿Qué sucedería si pudiéramos eliminar todos nuestras cargas?

¿Qué nuevas posibilidades podríamos entonces abrir?

Abrir

«Ven con un traje de amor, permite que comience la aventura».

Francesca da Rimini [Fecha de nacimiento desconocida.]

Ahora debemos prepararnos para el festín de nuestra vida.

Debemos prepararnos para amarnos incondicionalmente, a pesar de —o incluso gracias a— nuestras imperfecciones.

¿Qué elegiríamos si el menú de cosas por hacer incluyera hacer todo lo que nos da placer?

¿Cuál sería nuestra primera opción?

¿Hasta dónde llegaríamos si nuestro único límite fuera el no herir a otras personas?

¿Qué haríamos si el perdón, el pecado y la salvación fueran irrelevantes?

¿Y si, en lugar de centrarnos en lo que creemos que queremos, nos centráramos en lo que sabemos que amamos?

Esto ya lo hemos probado.

¿Para qué viviríamos?

¿Qué no sería negociable?

¿Cómo disfrutaríamos de verdad del resto de nuestra vida?

¿Qué tal si al descifrar esta incógnita pudiéramos, al fin, convertirnos en una persona auténtica y completa?

¿Qué sucedería si, una vez descubramos nuestro camino a la libertad, decidiéramos compartir con el mundo quiénes somos en realidad, y pudiéramos renacer?

Renacer

«Deja que la belleza de lo que ames sea lo que hagas».

Rumi (1207 – 1273)

No elegimos nacer, ni pudimos escoger cuándo ni dónde nacimos.

No elegimos esta sociedad, con sus reglas e instituciones.

No elegimos nuestra familia.

¿Qué sucedería si pudiéramos re-entrar al mundo?

¿Y si pudiéramos vivir únicamente bajo nuestras propias reglas?

¿Y si fuéramos libres para decir *¡no, gracias!* a todo aquello y a todas aquellas personas que no son de nuestro agrado?

¿Cómo seríamos, cómo nos oiríamos, qué apariencia tendríamos si fuésemos una persona completa, llena de vida, alineada y libre?

¿Y si fuéramos libres de rodearnos sólo de aquellas personas a las que amamos y que nos aman?

¿Cómo sería poder ayudar cualquier persona, sin esperar algo a cambio, y sólo cuando queramos?

¿Qué sucedería si fuéramos libres para aceptar que somos insignificantes, y reírnos de las preocupaciones del mundo?

¿Cómo sería aceptar que nada de verdad importa, excepto aquello que nosotros elegimos que nos importe?

¿Y si fuéramos libres para aceptar que somos mortales, y para comprender que sólo la muerte da sentido a la vida?

¿Y si fuéramos libres para elegir tranquilidad por encima de todo lo demás?

Libres para disfrutar esto.

Libres para disfrutar aquí.

Libres para disfrutar ahora.

¡Amen!

La historia detrás de la historia

En 2008 Murray Enkin, mi mejor amigo y padre de la obstetricia moderna a nivel mundial, me pidió que lo ayudara a prepararse para su muerte. Su petición parecía muy razonable. Se encontraba a punto de cumplir los ochentaicinco años y ya se consideraba anciano.

Murray no sufría ningún tipo de enfermedad terminal, pero sentía que había llegado el momento de pensar, hablar, leer y escribir sobre el proceso que se estaba abriendo paso a medida que se acercaba al final de su vida, y quería que lo acompañara a lo largo del camino.

Acepté su invitación de inmediato, previendo una experiencia muy interesante. Me disponía a actuar como su confidente y a compartir con él tantas reflexiones como fuera posible, basadas en mi experiencia con pacientes en sus últimos días. No sabía lo emocionante que iba a ser la aventura.

Durante una de nuestras primeras conversaciones dimos con una cita de George Santayana que nos guió durante este viaje maravilloso: «No hay cura para el nacimiento ni para la muerte, salvo la de disfrutar el intervalo que los separa».

Poco días después aquellas palabras cobrarían un significado especial, al encontrarme como paciente en mi propio hospital por un posible diagnóstico de cáncer de colon. Aún cuando el *cáncer fue descartado, el enfrentarme a la posibilidad de mi muerte me obligó a reconocer que había pasado años de mi vida acompañando a otras personas que estaban muriendo, pero muy poco tiempo centrado en cómo quería vivir el resto de mi vida, ni en cómo quería morir.*

De pronto, los cuarenta años de diferencia que me separaban de Murray parecieron irrelevantes. Resultaba evidente que éramos pasajeros de la misma nave, dirigiéndonos hacia el mismo destino, nuestra muerte. Ya no estaba simplemente acompañando a mis pacientes o a mi amigo. Ahora también se trataba de mí.

Después de tres años, Murray y yo llegamos a varias conclusiones importantes.

Primero, reconocimos que como especie, la humanidad se extinguirá, ya sea en cinco años, o en cincuenta, o en quinientos, o en cinco mil o en cinco millones de años.

Aun si esto no sucede pronto, como individuos, ni siquiera nuestros propios descendientes nos recordarán después de cuatro o cinco generaciones. Haz la prueba con tus propios antepasados. ¿Serías capaz de decir algo, por más de un minuto, de tus ocho tatarabuelos u ocho tatarabuelas? Muy seguramente han caído del todo en el olvido. Lo mismo ocurrirá contigo si tienes descendientes. En unos años te habrás ido, y serás desconocido para siempre.

También nos dimos cuenta de que tenemos la capacidad de valorar objetos y experiencias siempre que queremos, incluso cuando sabemos que carecen de valor intrínsecamente. Lo aprendimos en una edad temprana, cuando apostábamos con granos de arroz o maíz; y lo seguimos haciendo de adultos con las fichas en un casino, o cuando aceptamos que pedazos de papel en forma de billetes – o que incluso bytes en una pantalla – puedan usarse para comprar bienes.

Reconocemos, además, la capacidad para aceptar algo como real cuando así lo queremos. Estallamos en llanto o sentimos terror en una película, aún siendo plenamente conscientes de que hemos pagado por un asiento en la sala de cine.

Por último, concluimos que mientras nos sintiéramos bien, la única opción real que teníamos era la de seguir vivos. No queríamos acabar con nuestras vidas, ni queríamos suicidarnos. Era por lo tanto muy importante que decidiéramos cómo vivir el resto de nuestros días.

Basados en esto, concluimos que pese a que sabemos que nada es importante, somos capaces de darle relevancia a personas, a lugares y a objetos a voluntad, pudiendo crear experiencias que nos brinden máxima dicha sin remordimientos.

Por otro lado, nos dimos cuenta de que siempre podremos bloquear algo que nos preocupe convirtiéndolo en algo sin importancia, para que no nos cause sufrimiento.

En resumidas cuentas, aprendimos que nada cuenta en realidad más allá de lo que decidamos que sea importante. Es por ello por lo que debemos ser extremadamente cautelosos en la elección de aquello que nos importa.

Durante meses, hicimos una gran cantidad de experimentos mentales y jugamos con muchas de las situaciones que se nos presentaban durante nuestras actividades del día a día. Al cabo de un tiempo nos dimos cuenta de que podíamos crear experiencias felices que nos hacían sentir plenos, o que podíamos borrar o ignorar situaciones negativas que nos podrían causar sufrimiento.

Por último reconocimos que podíamos emplear nuestras nuevas habilidades para convertirnos en los protagonistas de una historia llena de felicidad y amor que intentaríamos prolongar hasta nuestra muerte.

Ahora esperamos que esta conversación íntima en la que has participado te ayude a prepararte para la creación de tu propia historia, y que pronto puedas ser capaz de hacer de tu vida un festín.

Con mucho cariño,

Todos los Alex.

Sobre el autor

Alex es médico, educador, emprendedor, investigador y sanador. Su misión es crear las condiciones que les permitan a todas las personas, comunidades y organizaciones del mundo lograr una vida sana y feliz, llena de amor y sin remordimientos hasta su último suspiro.

Ha viajado por todo el planeta buscando a los mejores cerebros, las mejores organizaciones, las mejores herramientas y el mejor conocimiento disponible para re-imaginar y re-inventar la forma en la que los humanos vivimos, aprendemos, trabajamos, nos divertimos y nos sostenemos en el siglo 21, y para crear un mundo más justo, amable, vibrante, productivo y sostenible.

Para obtener más información sobre Alex, visita:

https://es.wikipedia.org/wiki/Alejandro_Jadad_Bechara

Agradecimientos

A aquellos que han compartido tantas alegrías, miedos y sabias reflexiones durante los últimos días de sus vidas.

A quienes cuyos comentarios mejoraron este texto considerablemente: Martha García, Alia y Tamen Jadad-García, Juan David Vergara, Andrew Sofocli, Randi Fiat, Barbara Groth, Svjetlana Kovacevic, Anita McGahan, Ashita Mohapatra, Jeff Teal y Murray Enkin.

A María Benavides, por haber traducido esta obra del inglés al español, facilitando su adaptación.

A tu *yo*, a tu *mi* y a **tu** **mismísimo ser** por haber aceptado la invitación para participar en esta conversación tan íntima.

55301055R00045

Made in the USA
Lexington, KY
17 September 2016